Hindi
Alphabet Writing
व्यंजन लेखन

Written by: Aarti Chandnani
Illustrated by: SPORG Studio

ISBN: 0-9822664-0-5
ISBN13: 978-0-9822664-0-3

Please report errors or submit suggestions to: http://www.hindigym.com

केला | Kela| Banana

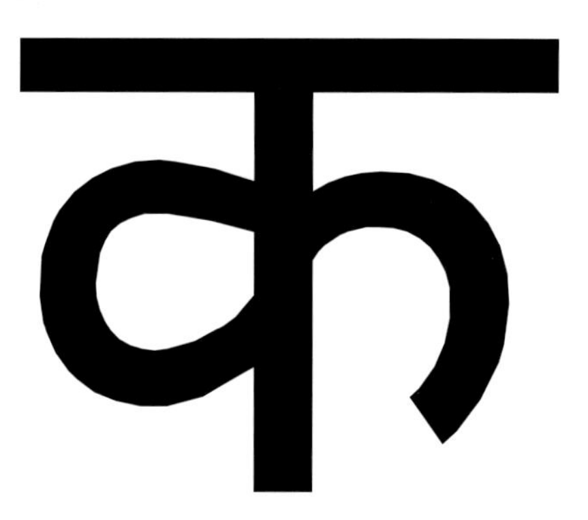

खरगोश | Khargosh | Rabbit

गमला | Gumla | Pot

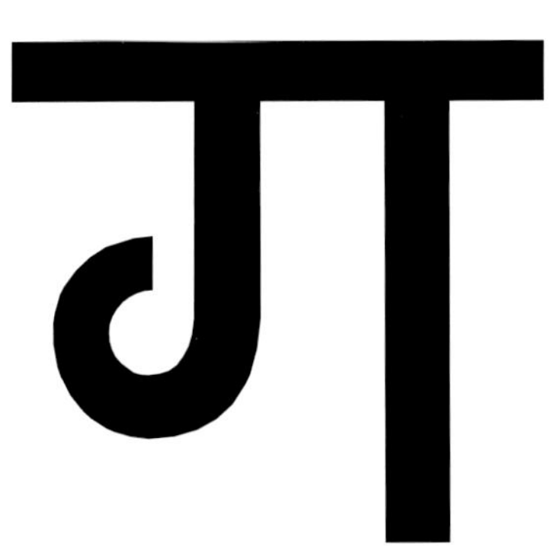

घोड़ा | Ghoda | Horse

ਙ

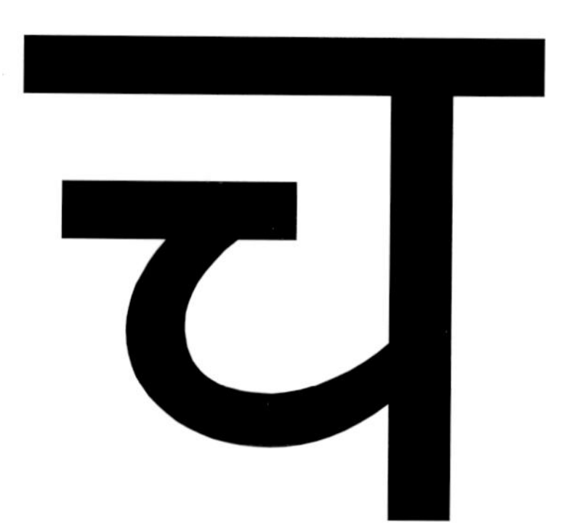

चम्मच | Chammach | Spoon

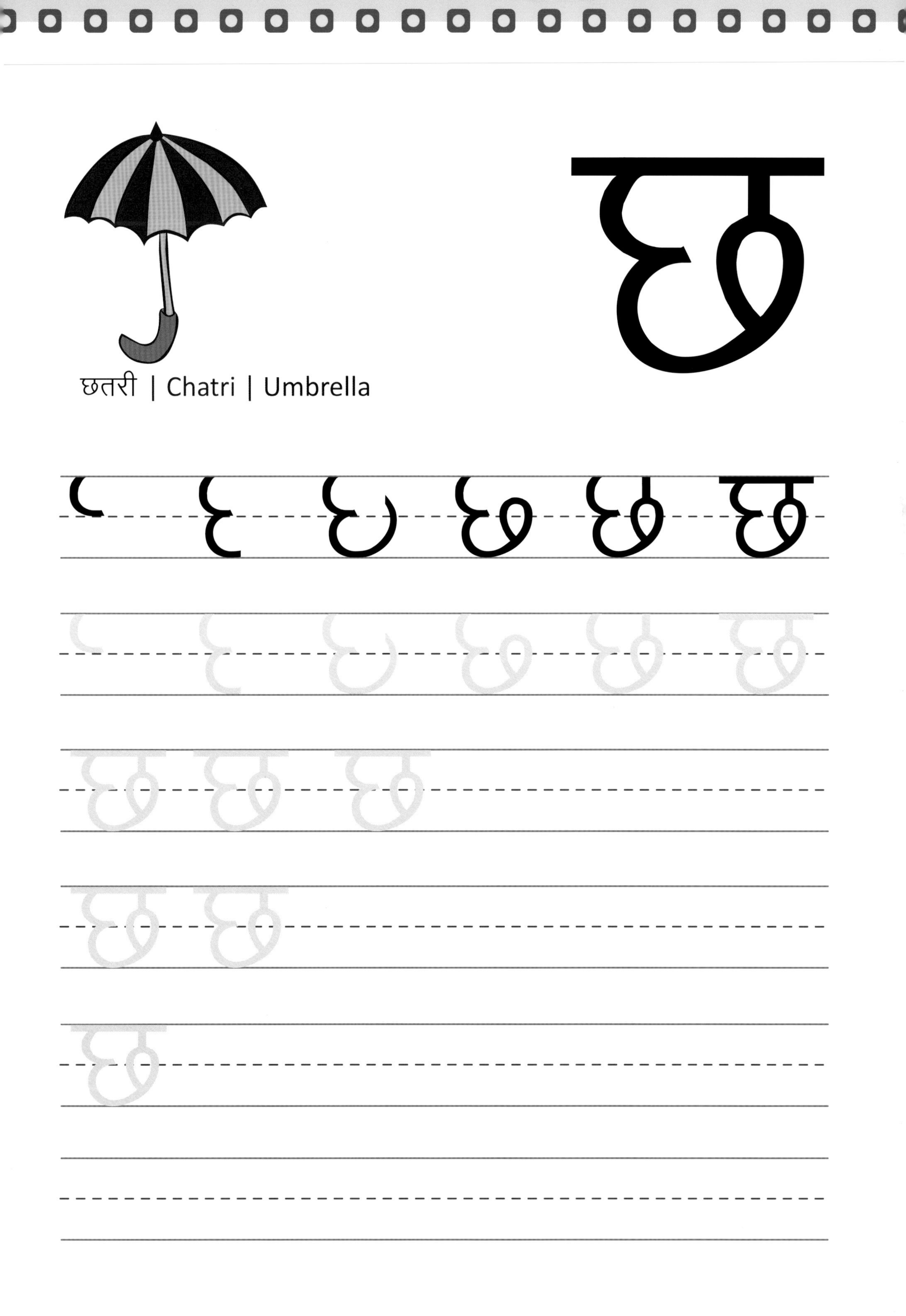
छ
छतरी | Chatri | Umbrella

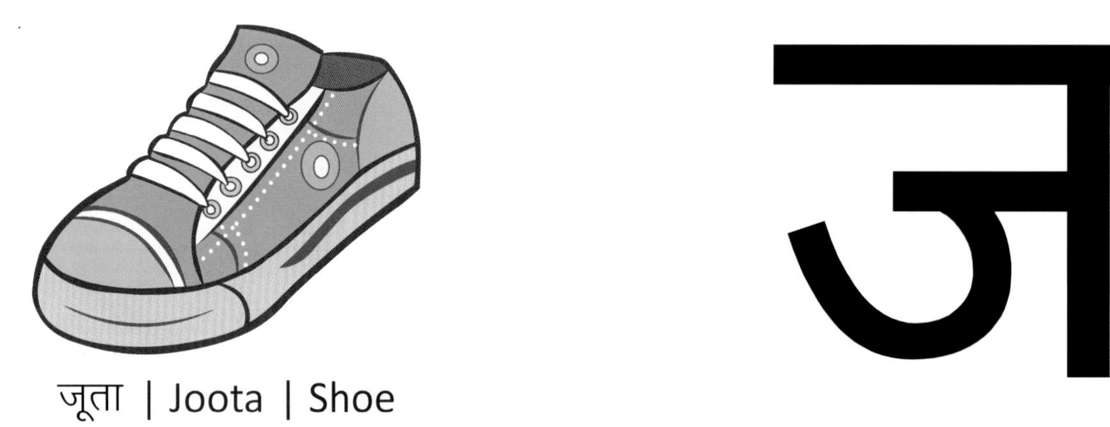

जूता | Joota | Shoe

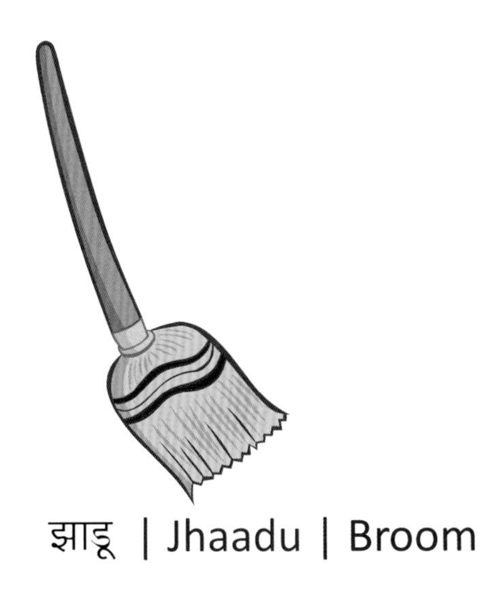

झाडू | Jhaadu | Broom

अ

अ

अ

अ अ अ

अ अ

अ

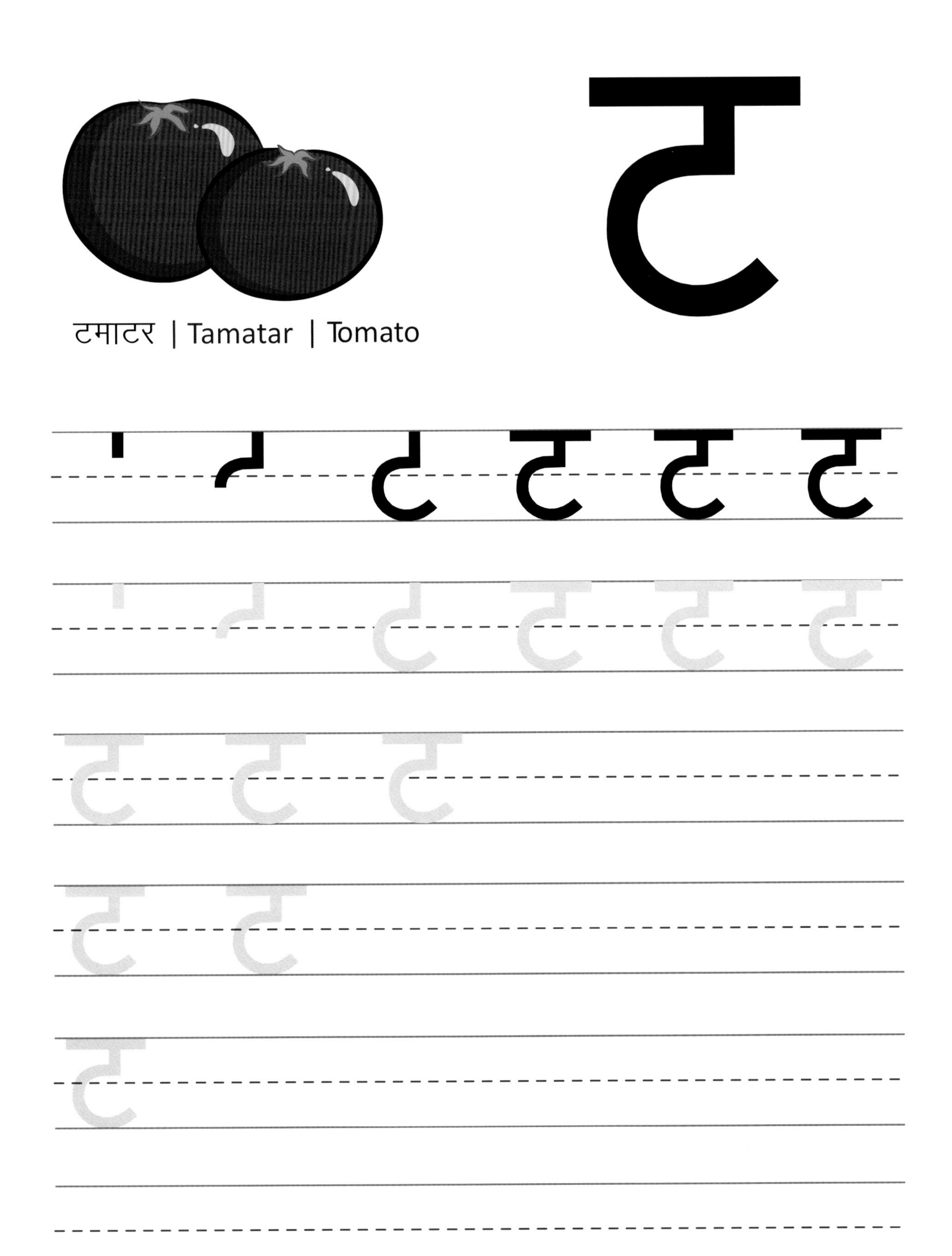
ट
टमाटर | Tamatar | Tomato

ठ

ठप्पा | Thappa | Stamp Seal

डफली | Dafli | Tambourine

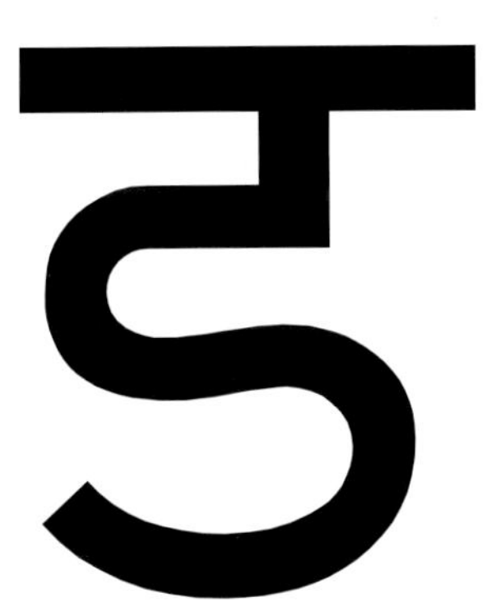

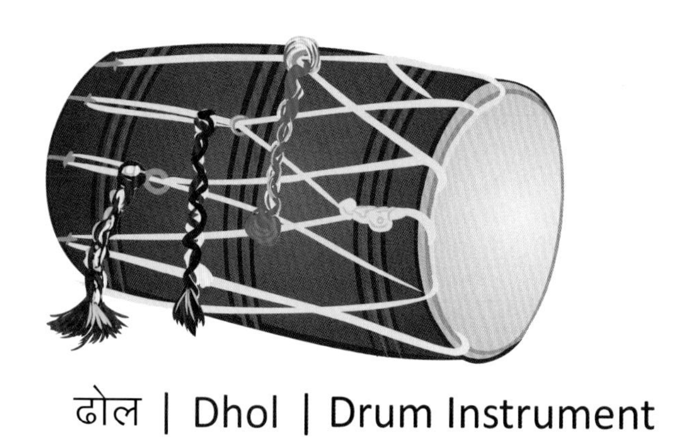

ढोल | Dhol | Drum Instrument

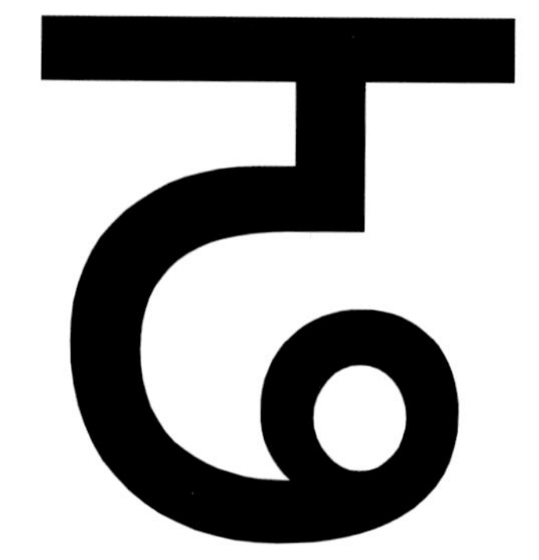

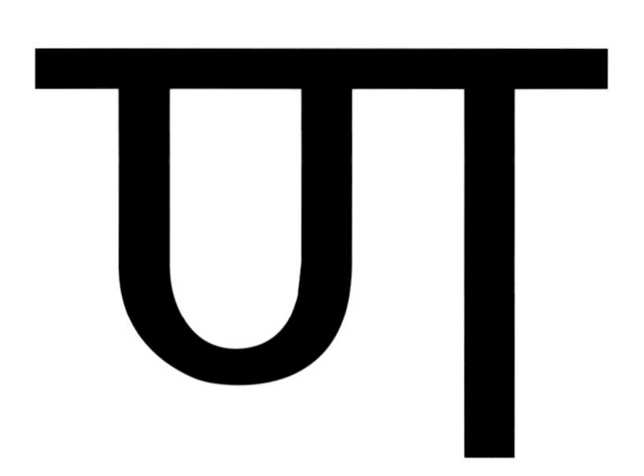

तितली | Titli | Buterfly

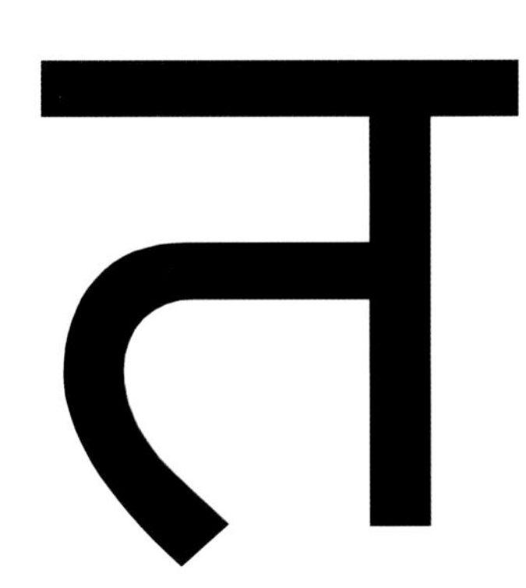

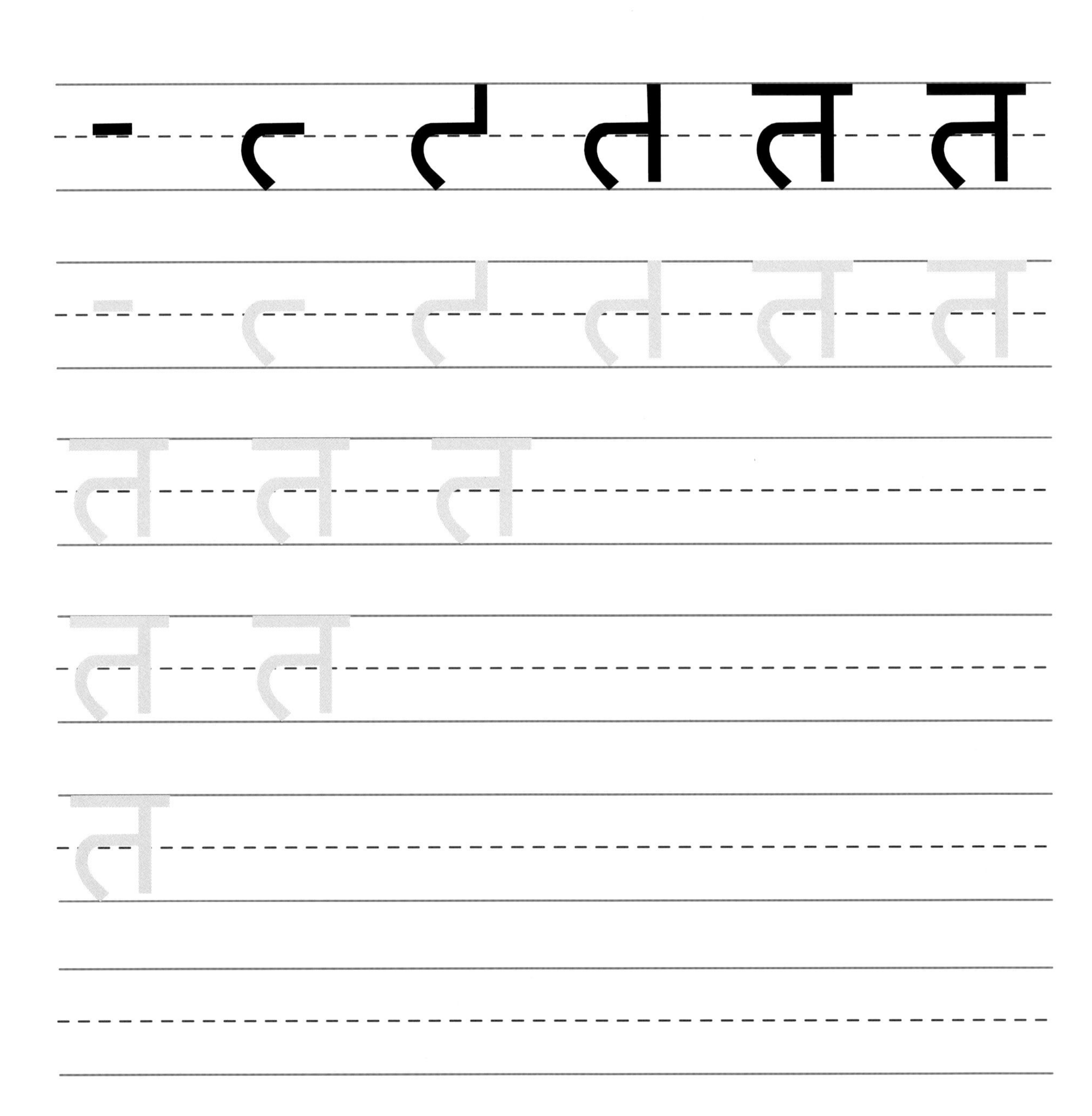

थैला | Thaila | Bag

थ थ थ

थ थ

थ

दूध | Doodh | Milk

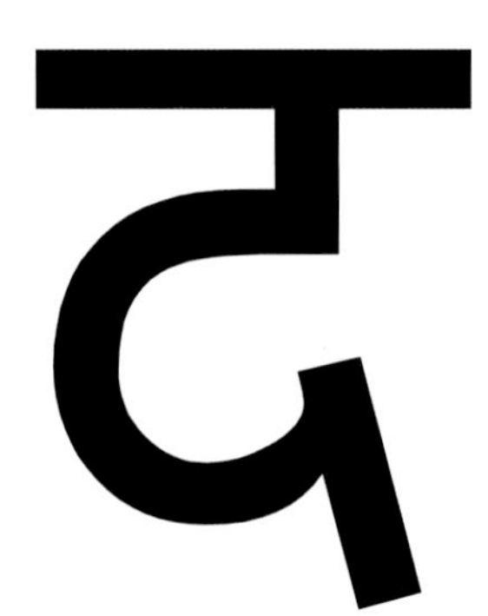

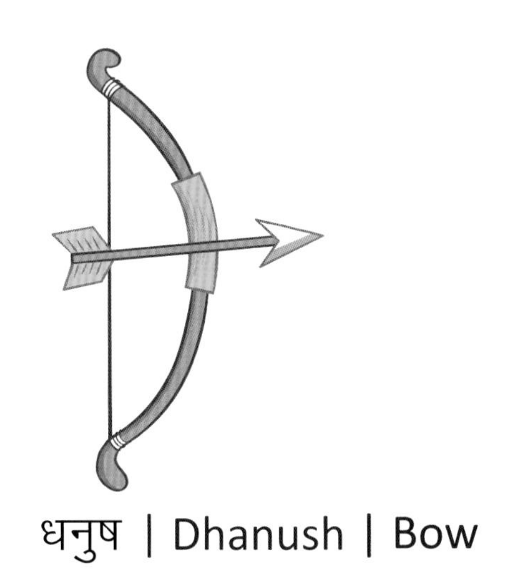

धनुष | Dhanush | Bow

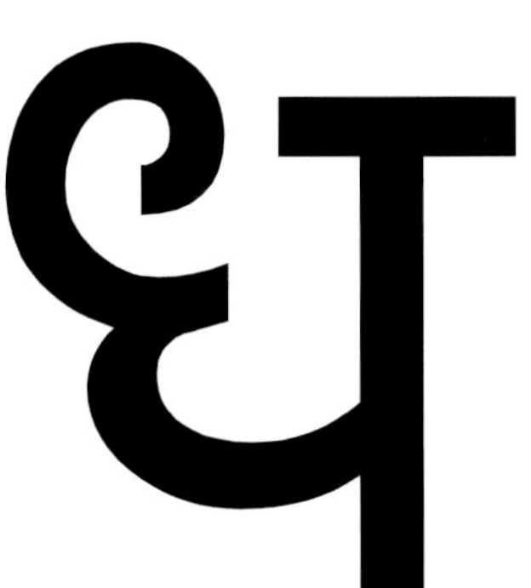

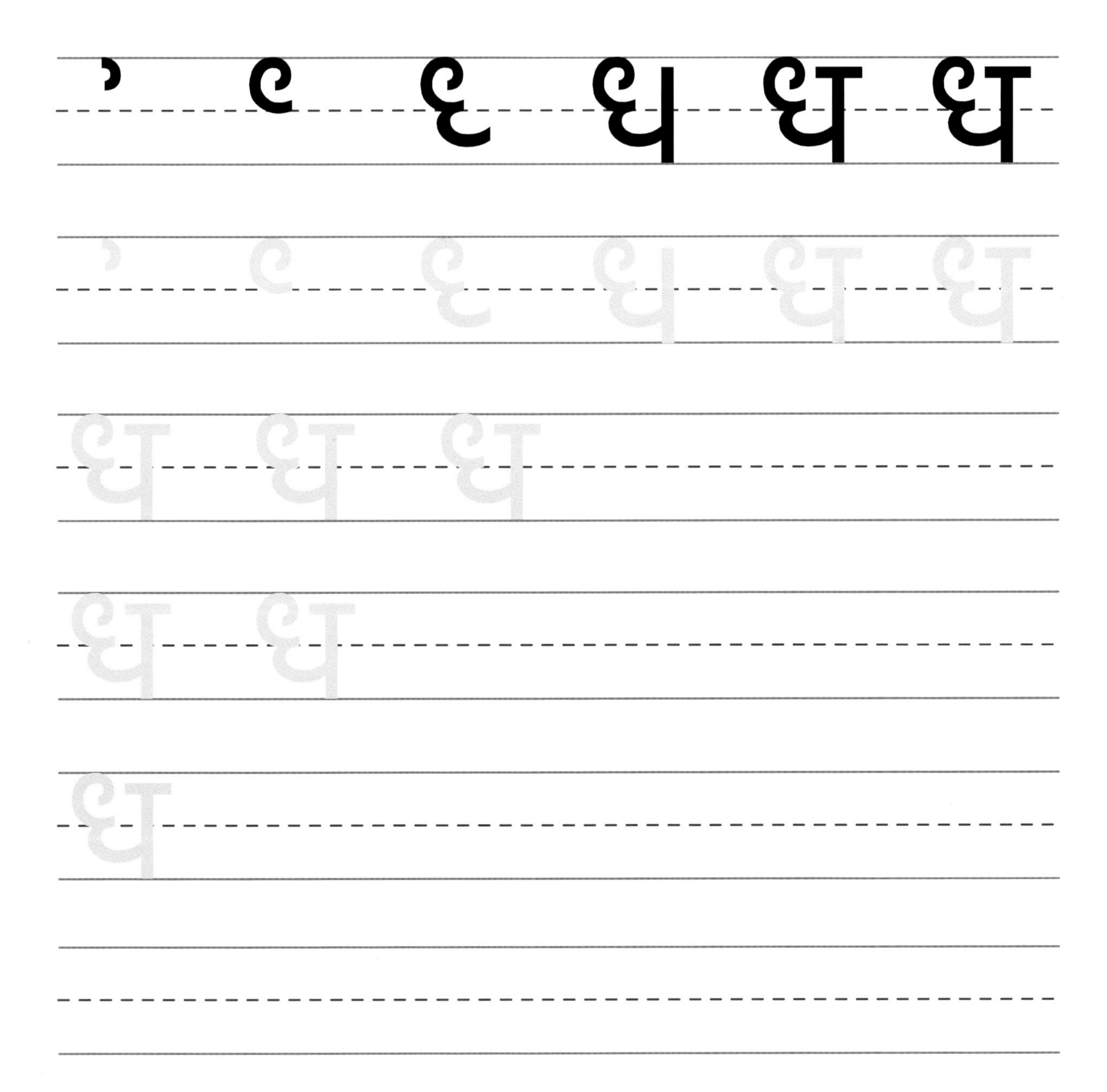

नींबू | Nimbu | Lemon

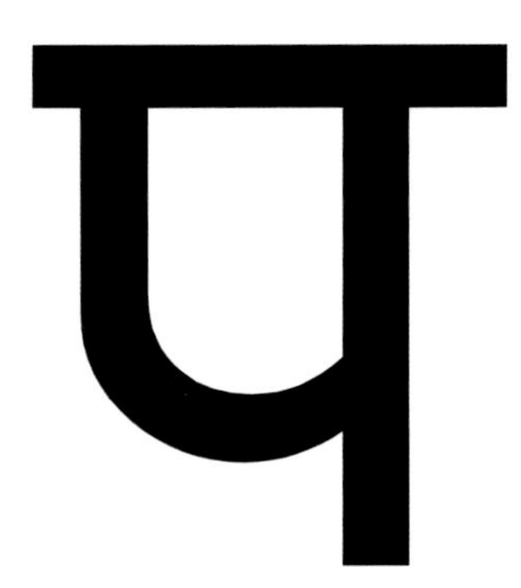

पतंग | Patang | Kite

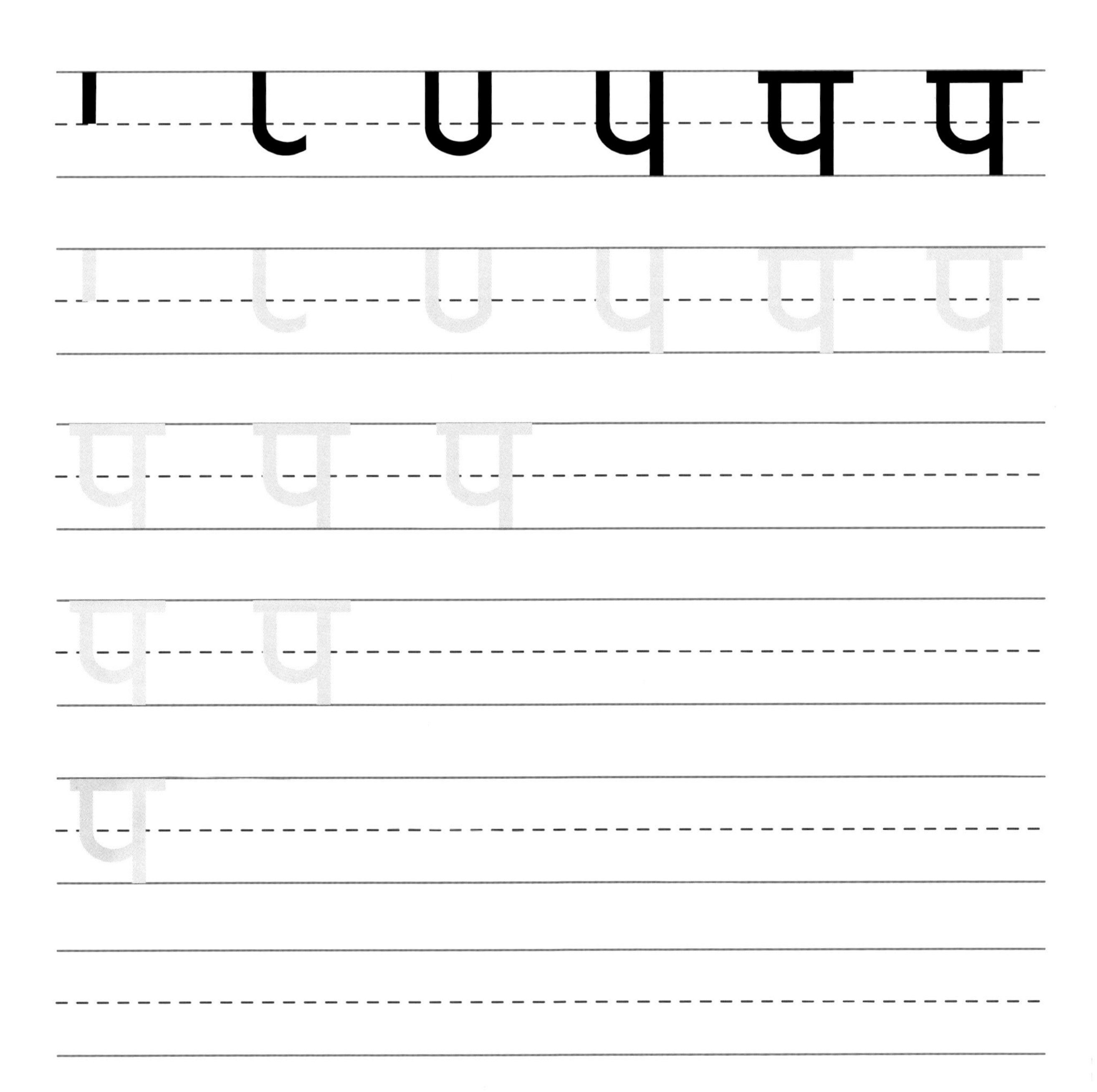

फूल | Phool | Flower

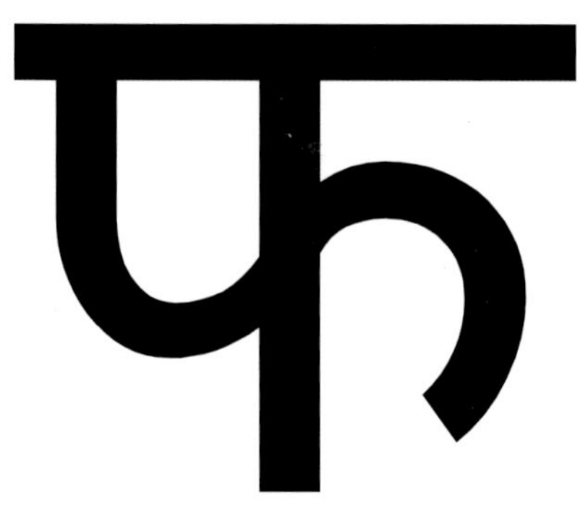

ब
बतख | Batakh | Duck

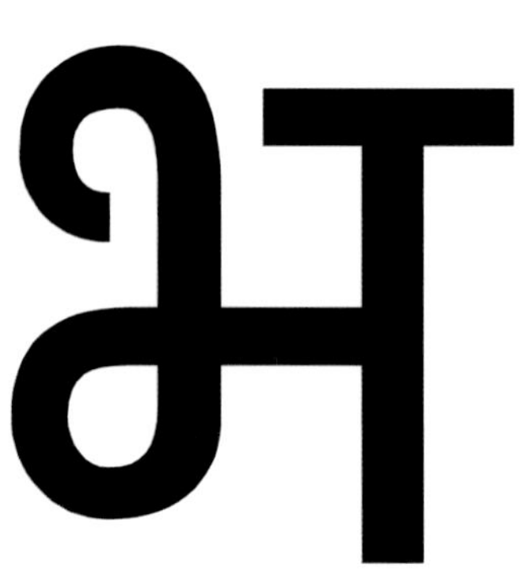

भालू | Bhaloo | Bear

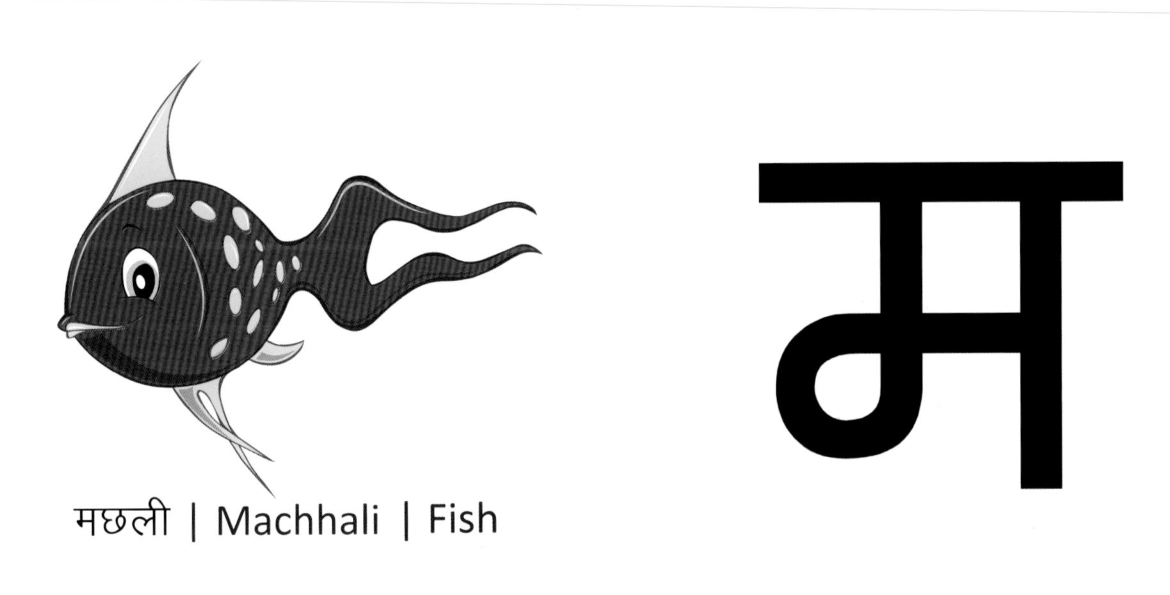

मछली | Machhali | Fish

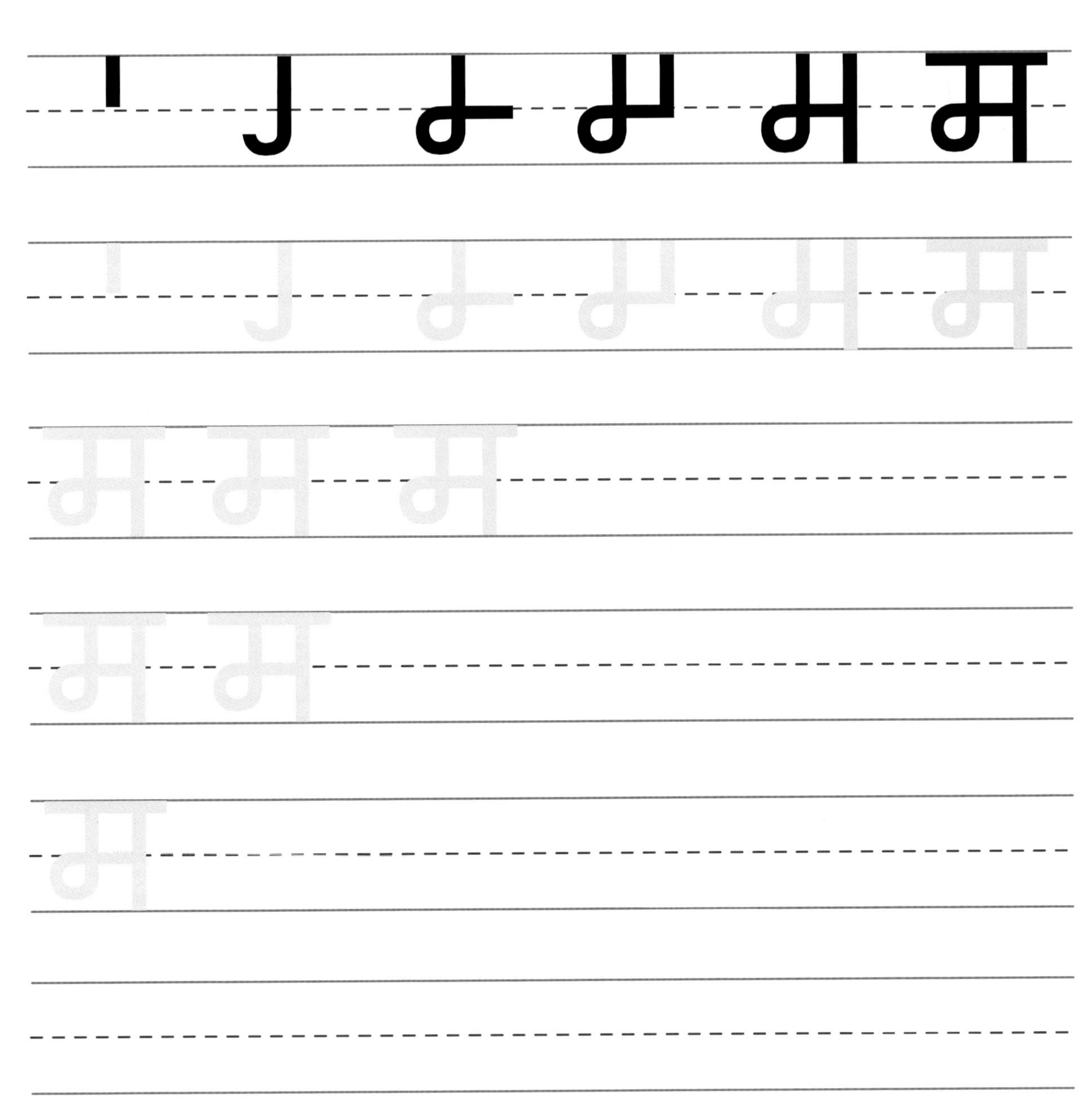

य
योगा | Yoga | Yoga
य य य य
य य य य
य य य
य य
य

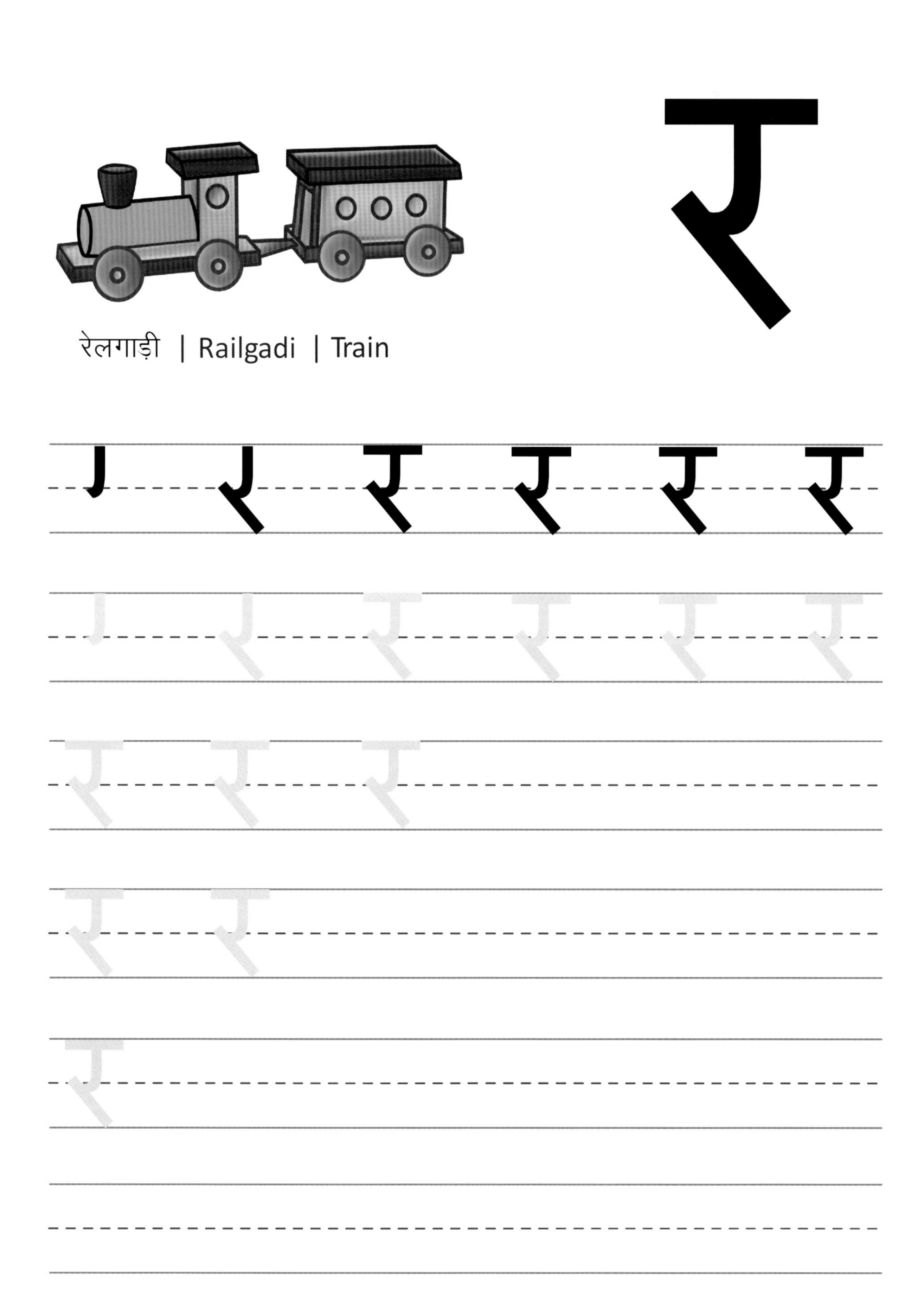
र
रेलगाड़ी | Railgadi | Train
र र र र र र

ल
लड़की | Ladki | Girl

वर्षा | Varsha | Rain

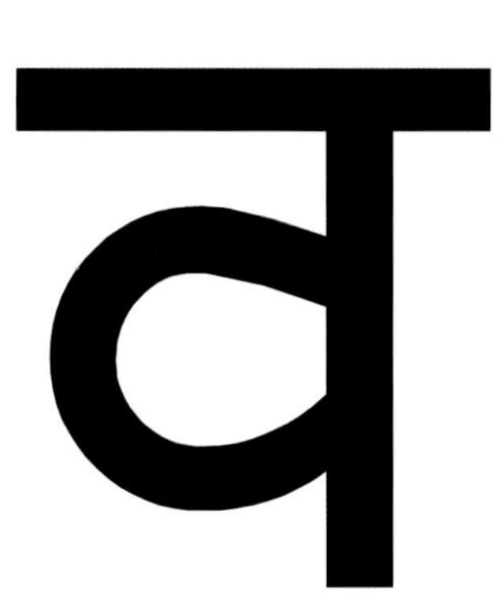

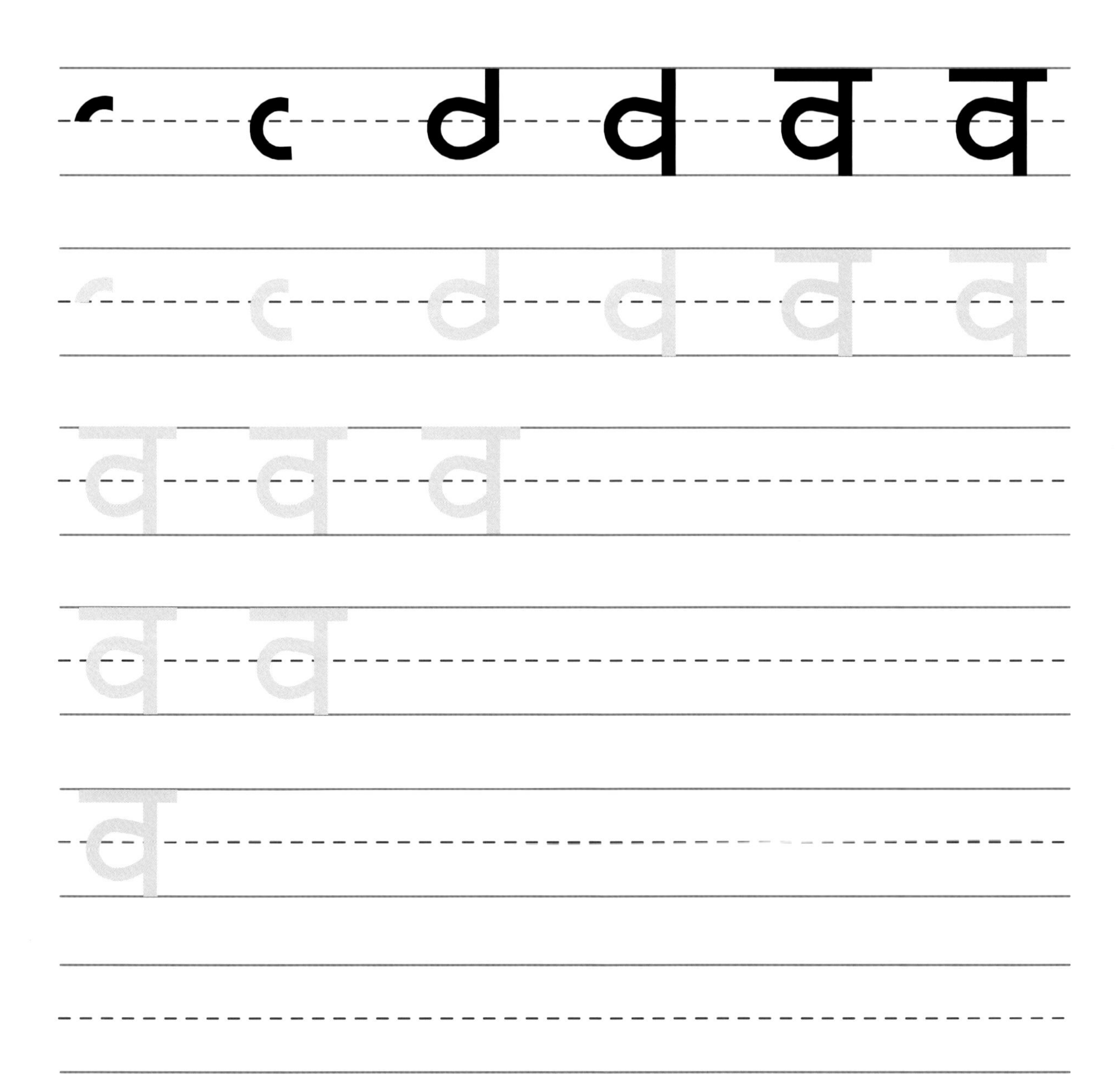

शेर | Sher | Lion

श

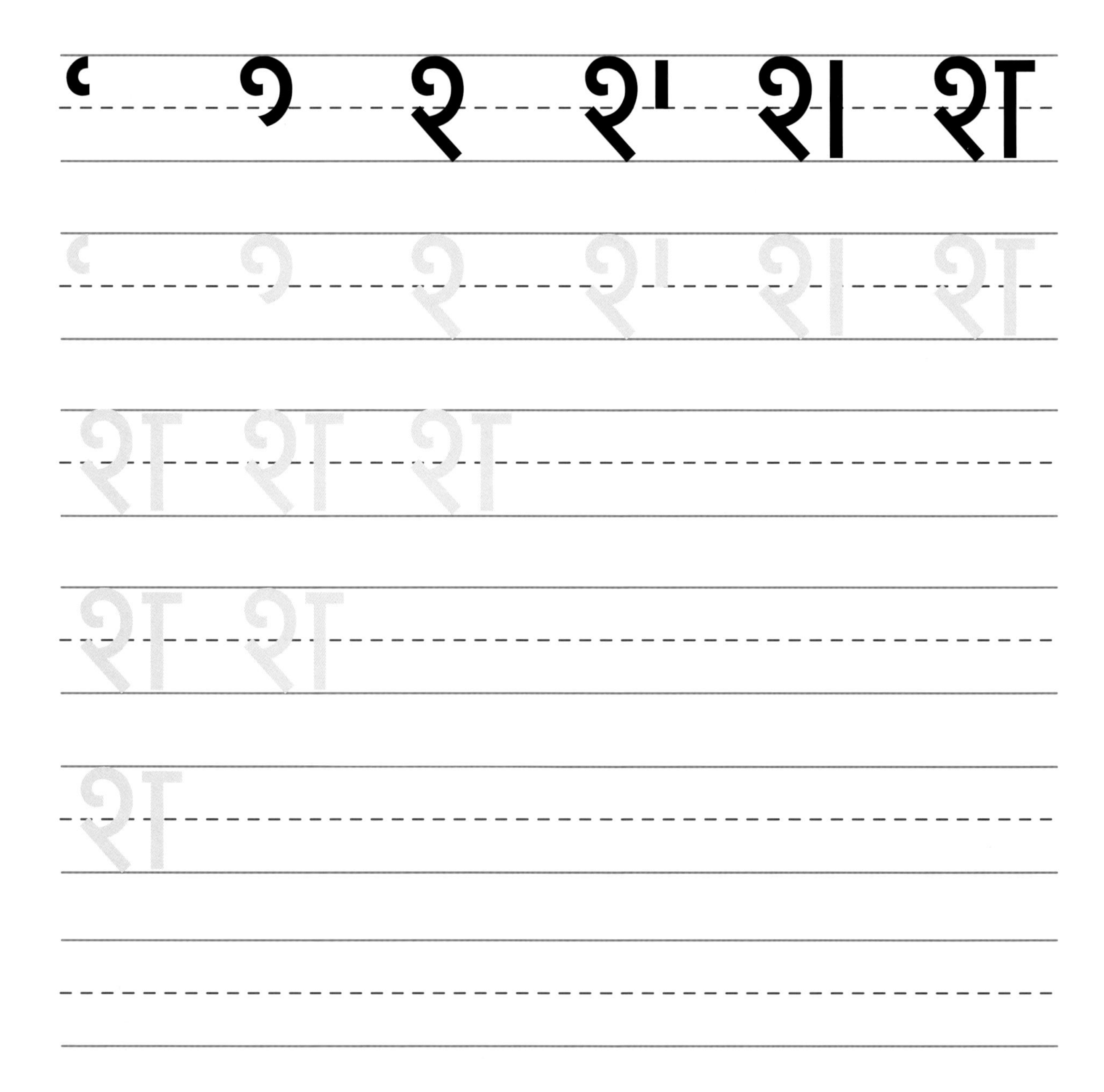

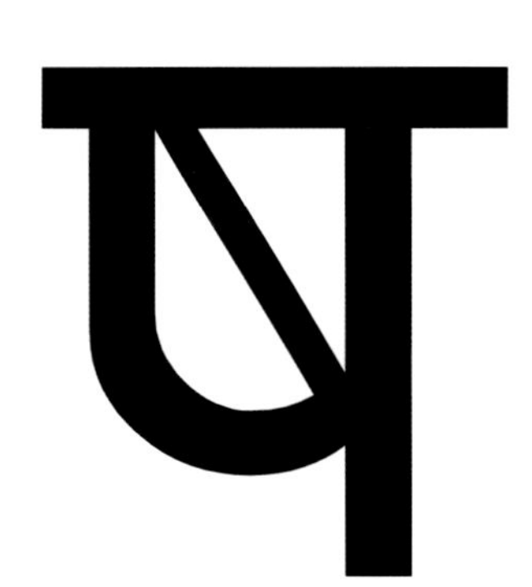

षटकोण | Shatakon | Hexagon

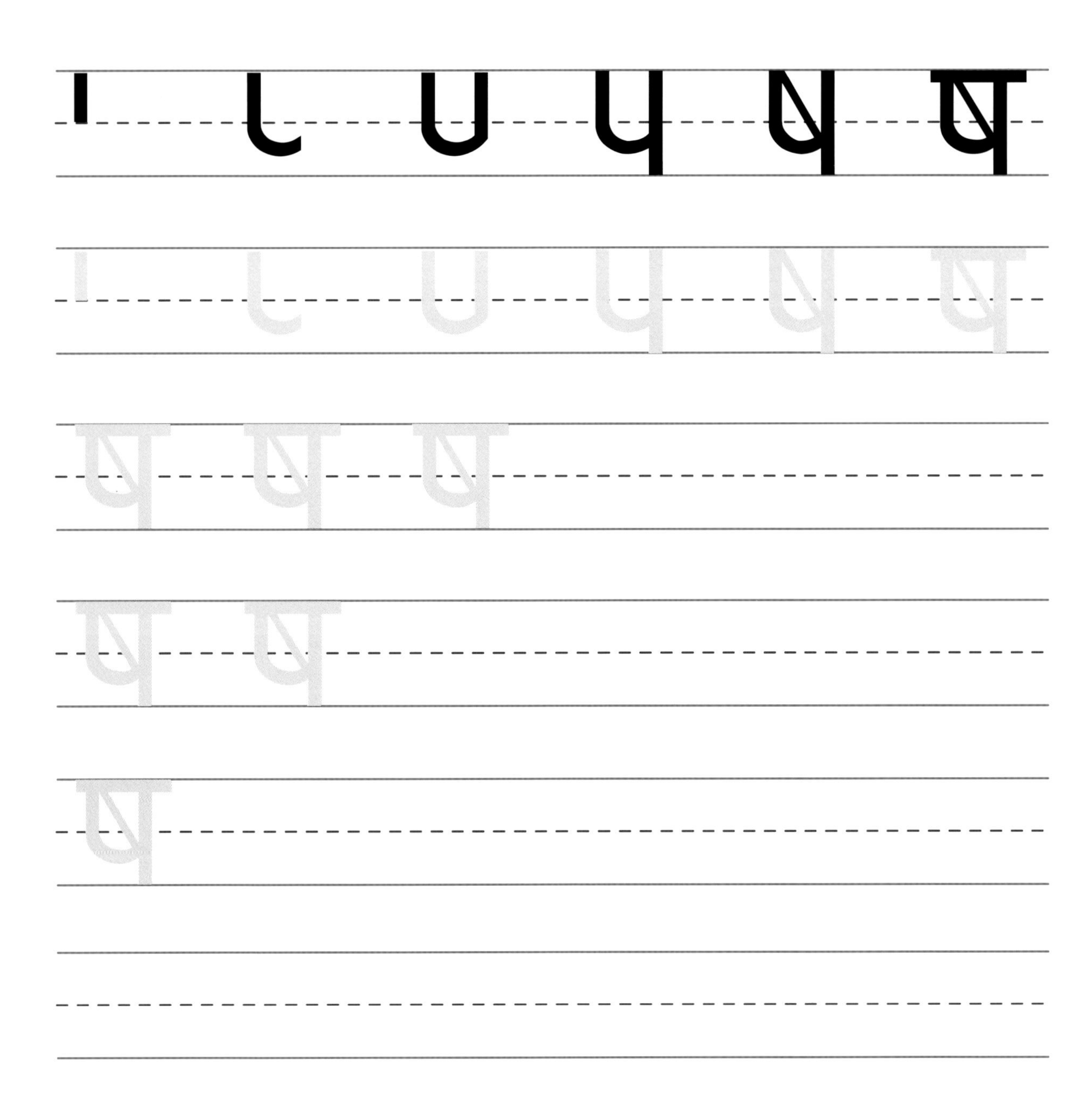

सूरज | Suraj | Sun

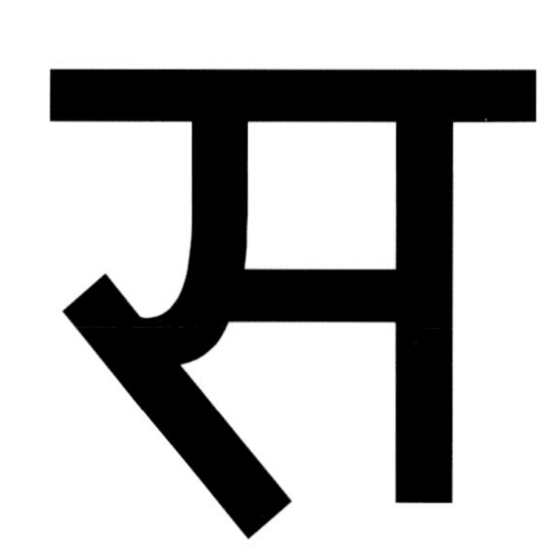

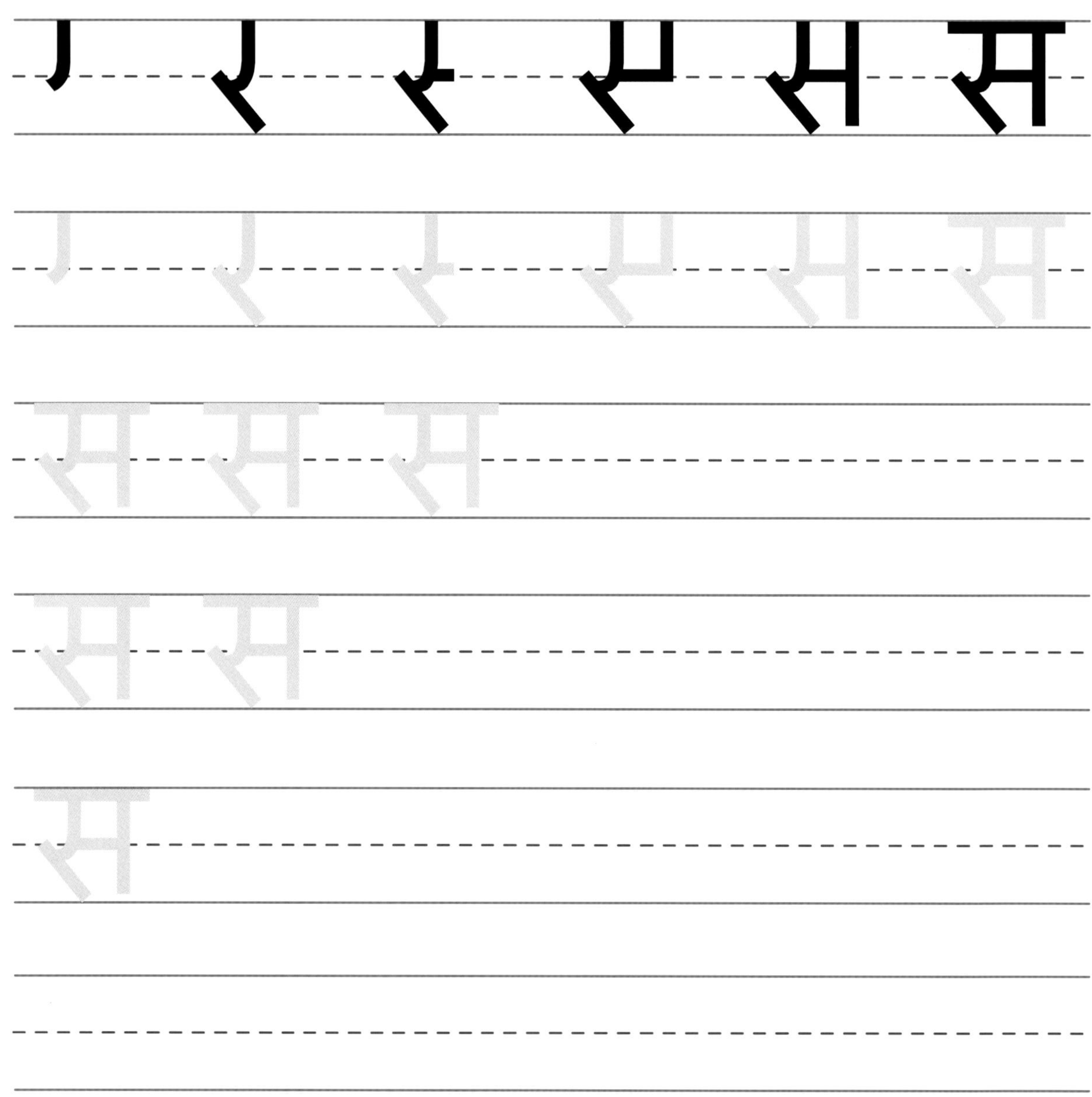

हाथी | Hathi | Elephant

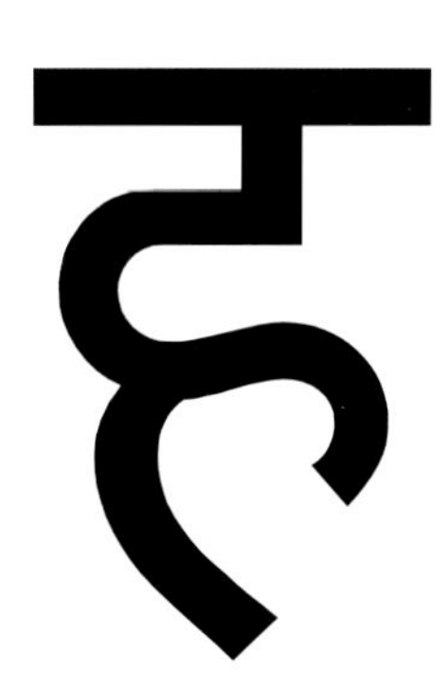

क्षत्रीय | Kshatriya | Warrior

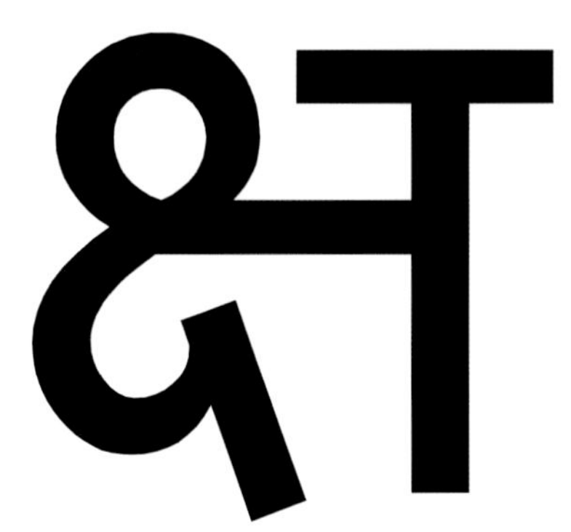

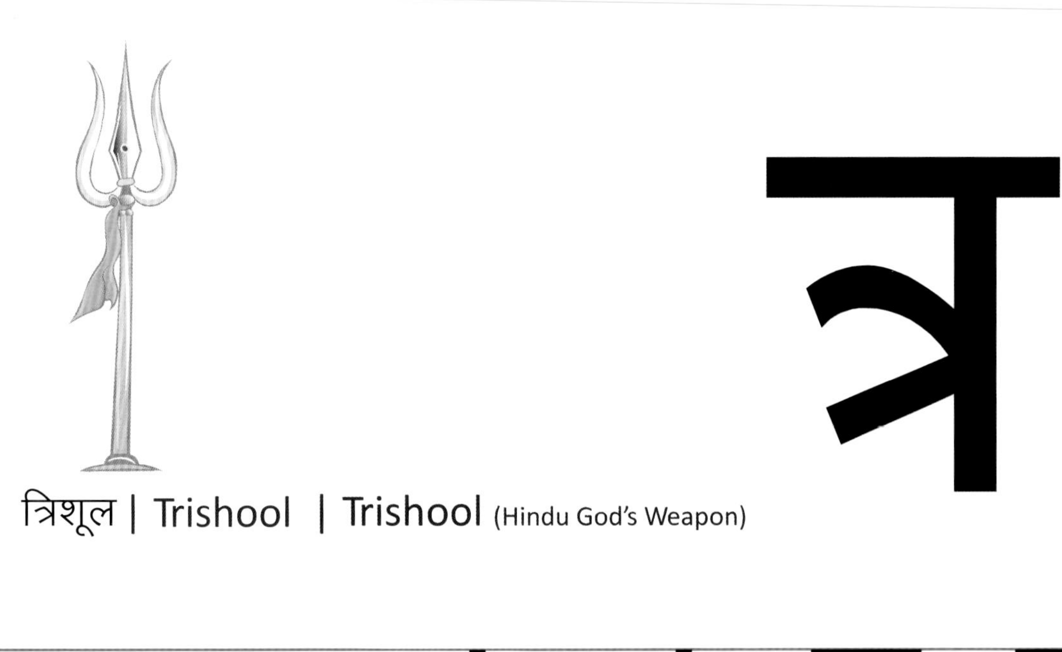

त्रिशूल | Trishool | Trishool (Hindu God's Weapon)

ज्ञानी | Gyani | Scholar

क ख ___ घ ङ

च ___ ज झ ञ

ट ठ ___ ढ ___

___ थ द ___ न

प ___ ब ___ म

य र ___ व श

ष ___ ___ क्ष त्र

ज्ञ

Fill In the blanks

खाली जगहें भरो

Good job!
(Name)
A+
Give yourself an A+
Now you know to read and
write alphabets in Hindi!